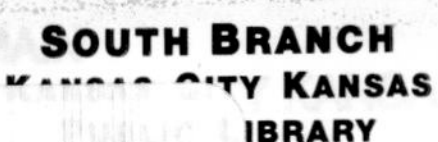

Formación Cívica y Ética

Cuaderno de trabajo

Segundo grado

Nombre: ______________________________

Escuela: ______________________________

Grupo: ______________________________

Formación Cívica y Ética

Cuaderno de trabajo

SEGUNDO GRADO

Formación Cívica y Ética. Cuaderno de trabajo. Segundo grado,
fue elaborado por la Dirección General de Materiales Educativos
de la Subsecretaría de Educación Básica, Secretaría de Educación Pública.

Secretaría de Educación Pública
Josefina Vázquez Mota

Subsecretaría de Educación Básica
José Fernando González Sánchez

Dirección General de Materiales Educativos
María Edith Bernáldez Reyes

Coordinación general
María Edith Bernáldez Reyes

Coordinación técnico-pedagógica
María Cristina Martínez Mercado

Autoras
Lilian Álvarez Arellano
Patricia Ávila Diaz
Adriana Corona Vargas
María Esther Juárez Herrera

Apoyo institucional
Escuela Normal Superior de México
Instituto de Investigaciones Filológicas,
Universidad Nacional Autónoma de México
Universidad Pedagógica Nacional

Revisión técnico-pedagógica
Dirección General de Materiales Educativos
Dirección de Desarrollo Curricular
Dirección General de Desarrollo de la Gestión
e Innovación Educativa

Revisión de contenidos
Silvia Rojas Ávila
Norma Romero Irene
Ana Lilia Romero Vázquez

Apoyo a la investigacón
Elizabeth López Pérez
Laura Raquel Montero Segura
María de la Cruz García Pinto

Coordinación editorial
Elena Ortiz Hernán Pupareli

Corrección de estilo
Jesús Gómez Morán

Diseño gráfico
Pablo Rulfo

Ilustración
Alex Echeverría
Merle Greene Robertson

Fotografía
Baruch Loredo Santos
Fernando Robles

Iconografía
Nayely Lorenzana Romero
José Guadalupe Martínez
Rita Robles Valencia

Portada
Diseño: Comisión Nacional de Libros de Texto Gratuitos
Ilustración: *La Patria*, Jorge González Camarena, 1962
Óleo sobre tela, 120 x 160 cm
Colección: Conaliteg
Fotografía: Enrique Bostelmann

Primera edición, 2008
Segunda edición, 2009 (ciclo escolar 2009-2010)

ISBN 978-607-469-110-8

Impreso en México

Índice

UNIDAD 3

UNIDAD 4

UNIDAD 5

Presentación

¡Bienvenida o bienvenido a segundo grado!

En este *Cuaderno de trabajo* encontrarás actividades que te ayudarán a estudiar los temas de la asignatura de Formación Cívica y Ética.

Cada actividad está relacionada con aspectos de tu desarrollo, por eso, vas a pensar y platicar acerca de cómo vives, y a tomar algunas decisiones importantes para ti y para los demás.

Esperamos que aprendas a querer mucho a México, a conocer, apreciar, cuidar y disfrutar toda la riqueza cultural y natural que poseemos.

Secretaría de Educación Pública

UNIDAD 1

Niñas y niños crecen y se cuidan

¡Estoy creciendo!

Ahora que has regresado a la escuela, probablemente tienes nuevos compañeros y compañeras, una maestra o un maestro distintos. También tú has cambiado. Seguramente has crecido y te ves diferente.

Escribe cómo eras el año pasado en los aspectos que se mencionan y cómo eres ahora. Pregunta a tu mamá y a tu papá o a otros familiares lo que no recuerdes.

	El año pasado	En este año
La talla de mi ropa		
Mi peso		
Lo que me gusta		
Lo que sé hacer		

Todas las personas cambiamos a lo largo de la vida. Por ejemplo, en apariencia, en las cosas que aprendemos a hacer, en la forma de comportarnos con nuestros amigos y amigas. En ocasiones, las familias platican acerca de cómo eran antes y de sucesos que fueron importantes para todos.

Escribe en el cuadro qué edad tenías cuando te ocurrió el hecho que se ilustra. Pide ayuda a tus familiares mayores.

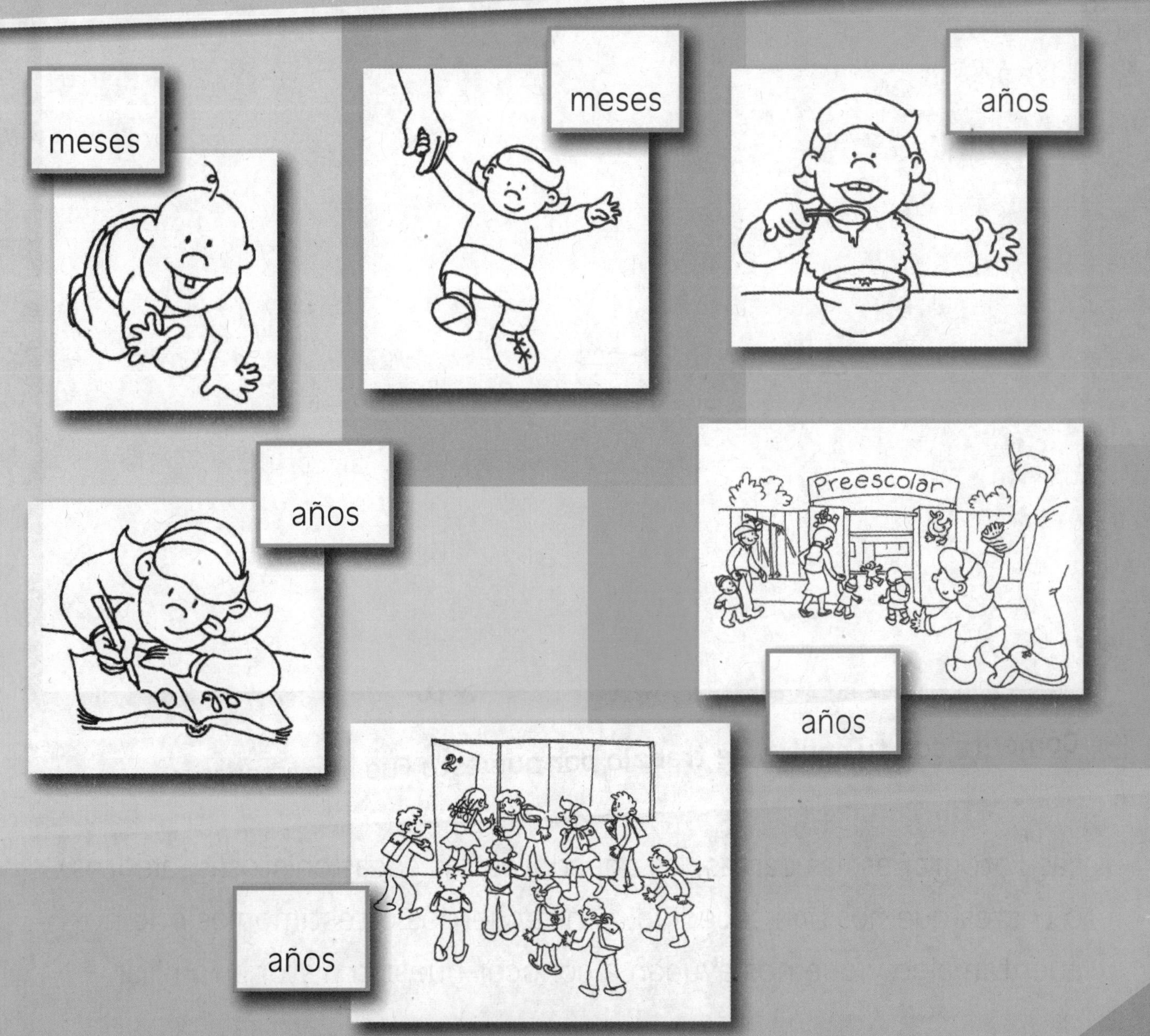

En esta hoja pega o dibuja situaciones del pasado que hayan sido muy importantes para ti y tu familia.

Algo importante para mí y mi familia fue:

Comenta con tu equipo de trabajo por qué esto fue importante.

Las fotografías, las cartas, las anécdotas, las cosas chistosas, alegres o tristes que nos han sucedido, son recuerdos o testimonios que nos cuentan algo y que nos ayudan a conocer nuestra historia familiar.

Cada familia es diferente

Nuestra familia está formada por las personas con las que vivimos. Hay familias que se integran con los papás y los hijos; en otras sólo está el papá o la mamá con los hijos, otras incluyen a los abuelos y a los tíos; o también hay familias que se forman sin hijos por una pareja.
Lo importante es que las personas que viven juntas se quieran y se ayuden entre sí, porque esos sentimientos son los que las unen.
¿Cómo son las personas con las que vives?

Dibújalas en los cuadros o pega una fotografía.
Investiga y contesta.

Nombre completo: ______________________________

Edad: ___________ Parentesco: _______________

Fecha de cumpleaños: ___________________________

Actividad favorita: ______________________________

Platillo preferido: ______________________________

Lo que más le gusta de su familia: ________________

____

Nombre completo: ______________________________

Edad: ___________ Parentesco: _______________

Fecha de cumpleaños: ___________________________

Actividad favorita: ______________________________

Platillo preferido: ______________________________

Lo que más le gusta de su familia: ________________

____

Completa las frases siguientes:

Mi familia está conformada por:

Mi familia es importante para mí porque:

Algo que queremos hacer próximamente es:

Lo que más me agrada de mi familia es:

Algo que no me gusta de mi familia es:

Cambiamos de muchas maneras

Los cambios que tenemos en nuestra persona no sólo se refieren a nuestra apariencia porque crecemos. También nos vamos comportando de manera diferente: somos más cuidadosos de nuestras cosas y de nuestra salud.
Desde que nacemos, las niñas y los niños tenemos derecho a que nuestra salud esté protegida. Las autoridades y nuestros padres deben estar pendientes de cuidarnos, pero nosotros también debemos colaborar para estar sanos.

Hago ejercicio físico

Colorea las actividades que favorecen el desarrollo de tu cuerpo.

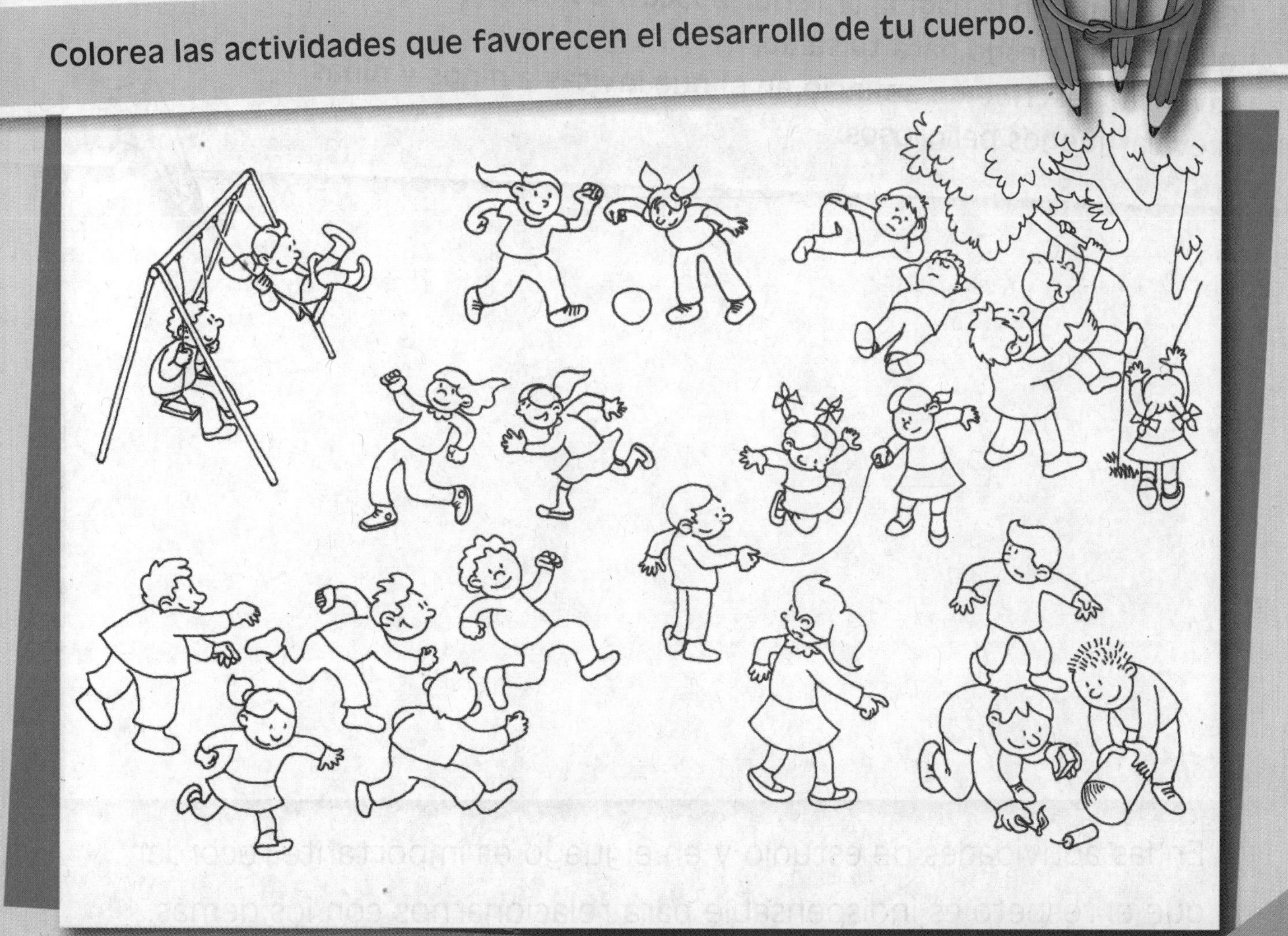

Contesta las preguntas siguientes:

¿Qué actividades físicas realizas, y cómo te benefician?

En el dibujo de la página anterior busca y comenta los juegos que son un riesgo para tu salud.
Inventa y escribe un anuncio en el que invitas a niños y niñas a evitar juegos peligrosos.

En las actividades de estudio y en el juego es importante recordar que el respeto es indispensable para relacionarnos con los demás.

Consumidores de alimentos

¿Qué alimentos se anuncian en los medios de comunicación? ¿Cómo se anuncian? ¿Qué te atrae de los alimentos que se anuncian? ¿Cómo puedes saber si estos alimentos son buenos para tu salud?

Actúa con tus compañeros algún anuncio comercial que promueva el consumo de ciertos alimentos. Fíjate lo que se dice y cómo se dice para convencerte de comprarlo.

Recorta y pega aquí la información nutrimental de algún alimento procesado.

Comenta la importancia de conocer la calidad nutritiva de los alimentos y de identificar productos "chatarra".

Pega aquí la información nutrimental de una golosina.

Este esquema te dice qué alimentos son necesarios para mantener y mejorar tu salud.

Fuente: NOM-043-SSA-2005

Investiga o inventa una receta para una golosina sabrosa y saludable.

Se necesita:

____

____

____

Se prepara así:

____

____

____

Cuido lo que como en el recreo

Acude a la cooperativa de tu escuela, con tu equipo y la guía de tu maestra o maestro, e identifica los productos que se venden ahí durante el recreo. Escribe en la columna correspondiente los productos que se indican.

Alimentos que favorecen mi salud y desarrollo	Alimentos que dañan mi salud y desarrollo

Compara tu lista con la de los otros equipos y comenta las siguientes preguntas:
¿Qué productos identificaste como perjudiciales?
¿Cómo pueden dañar tu salud?
¿Qué otros productos podrían venderse durante el recreo que sean sanos y nutritivos?

Con tu equipo elabora una lista de productos nutritivos que podrían venderse durante el recreo. Una comisión puede entregarla al director o directora de la escuela para su consideración.

Ejercicio de autoevaluación

En la escuela, con mis maestros y mis compañeros

¿CÓMO VOY?	Siempre (S)	Casi siempre (CS)	Casi nunca (CN)

- [ ] Reconozco los cambios en mi aspecto físico y comportamiento.
- [ ] Demuestro interés por saber cómo puedo cuidar mi salud y mi crecimiento.
- [ ] Participo en actividades físicas de acuerdo con mis capacidades.
- [ ] Me integro respetuosamente en juegos con niñas y niños con más o menos destrezas que yo.
- [ ] Demuestro respeto hacia las diferencias entre mi familia y las de mis compañeras y compañeros.

Mi plan de acción

Ejercicio de autoevaluación

En mi casa, en la calle y otros lugares

¿CÓMO VOY? Siempre (S) Casi siempre (CS) Casi nunca (CN)

☐ Consumo alimentos que benefician mi desempeño físico y evito los que me dañan.

☐ Estoy pendiente de asistir a servicios médicos preventivos —vacunación, dentista— y a protegerme de riesgos en casa o en la calle.

☐ Ocupo mi tiempo libre en actividades que ayudan a mi bienestar físico.

☐ Respeto las diferencias entre mi crecimiento, habilidades y destrezas respecto de mis vecinos y familiares.

☐ Me identifico como parte de una familia y valoro los logros obtenidos.

Mi plan de acción

____

____

____

____

____

____

____

____

UNIDAD 2

Mis responsabilidades y límites

Mis emociones son importantes

Cada persona tiene gustos y preferencias distintos, y se expresa de manera diferente. Lo que pasa a nuestro alrededor puede causarnos diversos sentimientos y emociones como risa, tristeza, enojo o sorpresa. Los sentimientos y emociones de cada persona merecen respeto. Hombres y mujeres tenemos derecho a expresar cómo nos sentimos. Sin embargo, es importante no dañar a otras personas al hacerlo.

Lee el siguiente caso y observa las ilustraciones.

En equipo de trabajo, Juan, Pati, Fernando y Paula hicieron en la escuela una maqueta de los animales que hay en su comunidad. Obtuvieron información en los libros de la biblioteca. Trabajaron mucho tiempo, por lo que les quedó bien hecha. Al terminar, acordaron que Juan se la llevaría a su casa, y la regresaría al día siguiente.

A la mañana siguiente llegó Juan con la maqueta destruida. Su hermanito menor la había tirado de la mesa. Él se dio cuenta de lo ocurrido, pero no pudo repararla.

En equipo comenta las preguntas siguientes.
Recuerda que debes pedir la palabra para dar tu opinión.

¿Cuáles son los sentimientos o emociones que refleja cada uno: enojo, susto, tristeza, miedo, burla, alegría, vergüenza?

¿Qué le dirías a cada niño o niña?

¿Cómo crees que se resolvió el caso?

¿Con quiénes te identificas? ¿Por qué?

¿Alguna vez has pasado por algún problema similar?

¿Cómo te sentiste?

Elige a uno de los niños del ejemplo anterior y escríbele un mensaje de acuerdo con las emociones que tenga. Recuerda ser respetuoso con los sentimientos de los demás.

Dibuja una actividad en la que hayas estado muy feliz con tus amigos y amigas.

Completa lo que se te pide en cada caso.

Me siento alegre si:

1 ____________________

2 ____________________

Me siento triste cuando:

1 ____________________

2 ____________________

Siento confianza y seguridad cuando:

1 ____________________

2 ____________________

Cuando siento enojo yo:

1 ____________________

2 ____________________

Aprendo a cuidar una mascota

Los seres humanos vivimos en el planeta Tierra con muchos otros seres vivos. Desde tiempos muy remotos, nos ha gustado conocer y cuidar ciertos animales. Algunas especies han aprendido a vivir con nosotros dentro de nuestras casas. Se trata de los animales domesticados.

Algunas especies son capaces de dar y recibir afecto de los humanos. Si están domesticadas, pueden ser un animal de compañía o mascotas. Una mascota es un animal que requiere cuidados muy especiales, porque fuera de su medio ya no puede bastarse

Imagina, desarrolla y haz una representación sobre alguno de los siguientes casos, u otros que decidan tu grupo y tu maestra o maestro:

Azulita y Botón Rompetacones, hermanos, viven en un departamento, y toman por mascota un león.

Blancanieves y los siete enanos buscan una mascota, y discuten cuál puede ser y cómo cuidarla.

Un perrito perdido busca a un niño o una niña para ser su mascota. ¿Qué les dice para convencerlos de llevarlo a su casa, y cómo quiere ser cuidado?

Un perico mexicano, de una especie en peligro de extinción, es atrapado y vendido ilegalmente como mascota. Como es un perico que habla, hace un discurso al llegar a la casa de quienes lo compraron.

Después de las representaciones, reflexiona y escribe tus conclusiones.

____

____

____

Tiempo para cada cosa

Hay actividades que hacemos porque son necesarias, como descansar, comer y colaborar en casa; otras son obligatorias, como hacer la tarea, y otras más las hacemos por gusto, como jugar con los amigos.
Al organizar nuestro tiempo podemos dedicar a cada actividad un tiempo especial. Así hacemos lo que nos gusta y cumplimos con obligaciones.

Observa las ilustraciones y anota en la línea la hora en la que realizas cada actividad. Coloréalas.

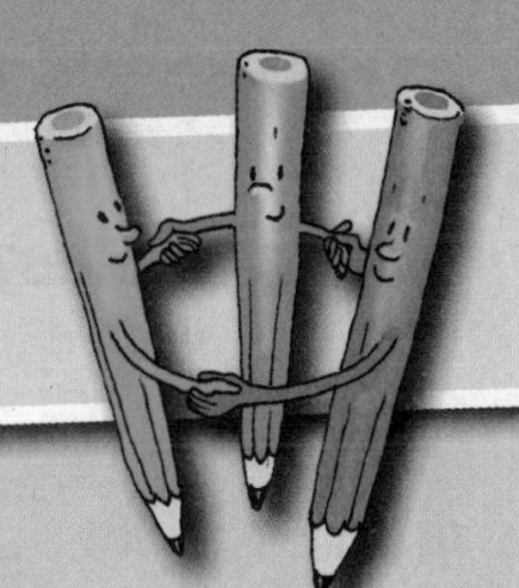

Me levanto a las:

____

Desayuno a las:

____

Voy a la escuela

de las: ______________

a las: ______________

Como con mi familia a las:

____

Me baño a las:

____

Marca con una ✓ otras actividades que realizas y la hora en que las llevas a cabo. En la última columna anota si las haces diariamente, o el nombre de los días en que las realizas.
Anota en los últimos renglones tus otras actividades.

✓	ACTIVIDAD	HORARIO	DÍAS
	Le doy de comer a mi mascota.	De las _____ a las _____	
	Juego con mis amigos o amigas.	De las _____ a las _____	
	Voy al mercado con mi mamá.	De las _____ a las _____	

Comenta con tu grupo:

¿Es suficiente el tiempo que dedicas a cada actividad?

¿Llegas a tiempo a la escuela?

¿Cuáles actividades te cuesta más trabajo realizar?

Reorganiza tu tiempo para que puedas realizar todas tus actividades. Elabora una agenda para anotar la hora en que vas a realizar cada actividad y el tiempo que le vas a dedicar. Para cada día haz un modelo igual al siguiente:

Horario	ACTIVIDAD	La realizo		Que no se me olvide
		Solo/sola	Con ayuda	

Me esfuerzo por mejorar

Las personas tenemos diferentes habilidades y destrezas. Ricardo dibuja muy bien y hace paisajes muy bonitos; a Pedro no le quedan tan bien sus pinturas como a Ricardo, pero es tan bueno para los deportes, que a correr nadie le gana.

Esto no significa que Pedro ya no dibuje, ni que Ricardo ya no corra; por el contrario, Pedro se esfuerza para que sus dibujos queden lo mejor posible y Ricardo por tener mayor velocidad.

Muchos personajes han logrado grandes obras a partir de su empeño y trabajo, y han llegado a destacar en distintas épocas de la historia. Ellas y ellos son un ejemplo a seguir para nosotros.

En equipos investiguen la biografía de uno de los siguientes personajes para saber por qué se les reconoce como mujeres u hombres destacados, y cuáles fueron las cualidades o valores que los distinguieron.

Cuauhtémoc

Cualidades:

____

____

____

Sor Juana Inés de la Cruz

Cualidades:

____

____

____

Benito Juárez

Cualidades:

____

____

____

Carmen Serdán

Cualidades:

____

____

____

Durante este curso tú puedes desarrollar algunas cualidades que aprecias de los héroes y las heroínas de tu país.

Decido en qué quiero mejorar:

Reflexiono sobre qué quiero lograr:

Para lograr mi propósito voy a realizar las siguientes acciones:

El tiempo en que voy a alcanzar las metas mencionadas es:

Recuerda anotar en tu agenda las actividades y el horario en el que las vas a llevar a cabo.

Seamos justos

Es frecuente que en los lugares donde convivimos con otras personas, compartamos el espacio y otros bienes. Para disfrutar o hacer uso de ellos de manera justa y equitativa es necesario ponerse de acuerdo.

Lee lo que ocurre en la escuela de Jacinto, un alumno que está en segundo grado en la primaria "Niños Héroes".

En la escuela de Jacinto hay dos canchas, una de futbol y otra que se usa para volibol y para basquetbol. Cuando comienza el recreo, niños y niñas salen corriendo para ganar las canchas. Casi siempre ganan los de sexto porque llegan más rápido. Entonces, Jacinto y sus amigos se tienen que ir a la otra cancha, pero también está ocupada porque el maestro de Educación Física les prestó el balón a las alumnas de quinto grado, y ya no hay ni espacio ni otro balón para ellos.
¿Qué opinas de este caso?
¿Qué pueden hacer para que sea más justo el uso de las canchas y de los balones?

Escribe una propuesta de cómo organizarse para que los seis grupos puedan jugar en las canchas y hacer uso de los balones.

Ejercicio de autoevaluación

En la escuela, con mis maestros y mis compañeros

¿CÓMO VOY?	Siempre (S)	Casi siempre (CS)	Casi nunca (CN)

- [ ] Identifico las distintas emociones que experimento y las de los demás.
- [ ] Reconozco alternativas de acción para evitar dañar a los demás cuando me siento triste o enojado.
- [ ] Organizo mi tiempo y establezco horarios para cumplir con mis obligaciones y también para divertirme.
- [ ] Reconozco que necesito mejorar algunas cosas y me organizo para lograrlo.
- [ ] Expreso mi punto de vista para que la organización de las tareas escolares sea justa para niños y niñas.

Mi plan de acción

____

____

____

____

____

____

____

____

Ejercicio de autoevaluación

En mi casa, en la calle y otros lugares

¿CÓMO VOY?	Siempre (S)	Casi siempre (CS)	Casi nunca (CN)

- [ ] Expreso mis emociones y sentimientos sin gritar o agredir a los demás.
- [ ] Escucho con atención y respeto cuando alguien me platica lo que le pasa.
- [ ] Establezco horarios para hacer tareas, jugar y ayudar en las labores de casa.
- [ ] Participo en la planeación de proyectos de mi familia y colaboro en su logro.
- [ ] Expreso mi aprecio por personas que realizan acciones destacadas en beneficio de la comunidad y del país.

Mi plan de acción

UNIDAD 3

Todos necesitamos de todos

Valoro el trabajo de los demás

¿Cuántas cosas diferentes utilizas o consumes en cada actividad que realizas durante el día? Para bañarte, vestirte, comer, ir a la escuela y jugar, utilizas diversos productos que puedes disfrutar gracias al trabajo de mucha gente, tanto de nuestro país como de otros lugares.

Cada equipo presenta al grupo una conclusión acerca de qué pasaría si no llegaran esos productos a tu localidad.

Acompañado de un adulto, acude con tu equipo al mercado o a otros comercios de tu localidad. Pregunta a los vendedores de dónde traen los productos que venden. Registra la información en fichas.
Consulta tu libro de texto de *Formación Cívica y Ética*, página 42, para que sepas cómo elaborarlas.
Expliquen a su grupo los resultados.

Muchos productos que se traen de otros lugares del mundo también se producen en México. Compra lo que se hace en nuestro país, pues con ello las trabajadoras y los trabajadores mexicanos conservarán su empleo.

Yo necesito de los demás

Relaciona con una línea la ilustración correspondiente con el beneficio que te brinda cada persona.

Me informa de lo que pasa en mi país y en el mundo.

Trae a mi localidad cosas que se producen en otros lugares.

Me cura cuando me enfermo, y protege mi salud.

Me ayuda a ejercitar mi cuerpo para mantenerme sano.

Me enseñan a convivir y a apreciar a todas las personas.

El respeto

Cada persona es un ser especial y diferente de los demás por sus ideas, gustos, intereses, creencias y rasgos físicos. ¡No existe una persona igual a otra! Como niña o niño, tu deber es respetar a todas las personas, y tu derecho es recibir respeto y cuidados.

Lee en tu libro de texto, en la página 29, "El desarrollo de los pueblos indígenas", de Luis H. Álvarez. Coméntalo con tu grupo.

Cuando se falta al respeto a una persona por su apariencia, origen, costumbres, lengua, estado de salud, situación económica o cualquier otra razón, se le está dando trato discriminatorio.

Identifica si en tu escuela hay actitudes discriminatorias. Comenta tus respuestas con tu grupo. Establezcan acuerdos acerca de cómo pueden evitar tratos discriminatorios hacia otras personas.

En mi escuela:	SÍ	NO
¿Se discrimina a algunas personas?	☐	☐
Cuando se discrimina a alguien es por:		
Apariencia física	☐	☐
Razones económicas	☐	☐
Forma de vestir	☐	☐
Calificaciones que se obtienen	☐	☐
¿Has sido discriminado o discriminada?	☐	☐

¿Quiénes discriminan? ______________________________

Platiquen en el grupo sobre distintas actividades que puedan realizar para no discriminar.

Acuerdos:

____

Completa las frases siguientes:

Todas las personas merecen mi aprecio y respeto porque:

____

Nadie puede discriminarme porque yo:

____

Si alguien se burlara de otra persona, yo le diría:

____

Diversidad en mi localidad

En nuestro país, las personas tienen diferentes maneras de vestir, de construir sus casas, de hablar, de celebrar. Eso se llama diversidad cultural.

Investiga en tu libro y en la biblioteca acerca de diferentes rasgos de la diversidad en México.
Describe y dibuja aquí algunos rasgos de la diversidad cultural y natural que ves en el lugar donde vives.

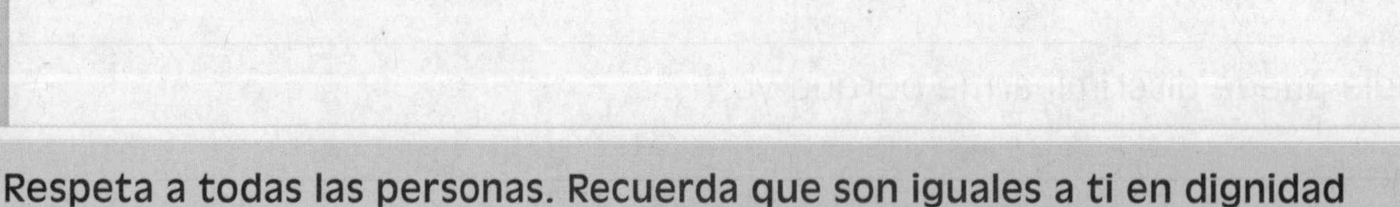

Respeta a todas las personas. Recuerda que son iguales a ti en dignidad y derechos.

Dibuja tres de las plantas que haya en el lugar donde vives. Investiga con tus compañeros y compañeras de equipo qué cuidados requieren.

Plantas que hay en el lugar donde vivo	Cuidados que requieren

Celebraciones en mi país y en mi localidad

En las localidades se celebran, desde hace muchos años, fiestas tradicionales. Las personas de cada localidad acostumbran festejar ciertas fechas en las que muestran y comparten sus valores. En ellas se presentan bailes con la vestimenta tradicional, la comida típica del lugar y los productos artesanales que sólo ahí se elaboran.

Comenta con tus compañeras y compañeros cuáles de estas tradiciones conoces.

Juguete de madera, Estado de México.

Tamales y atole de Veracruz.

Danza de "Los matachines", Puebla.

Noche del "Grito de Independencia", en Chihuahua.

Juguete de madera,
Guanajuato.

Danza de "Los viejitos", Michoacán.

Las fiestas tradicionales son motivo de convivencia que distingue a los habitantes de una localidad de otras. Casi siempre todos los vecinos colaboran y participan en la organización de la festividad.

Los símbolos de todos los mexicanos

Revisa en tu libro de texto qué fechas cívicas se conmemoran en este mes y selecciona alguna de ellas. Investiga qué se conmemora y escribe aquí lo que investigaste. Ilustra tu investigación con un dibujo.

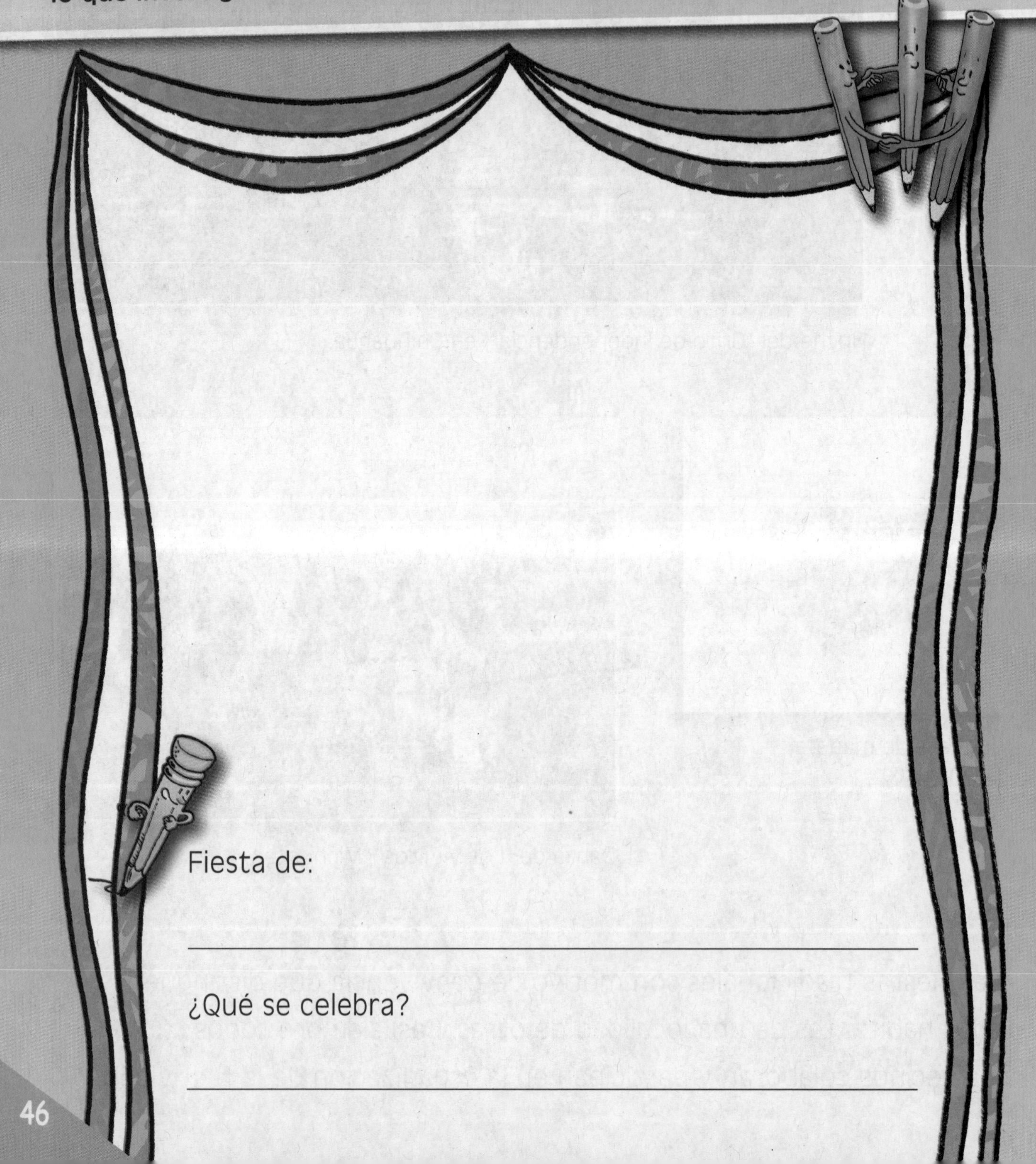

Fiesta de: ______________________

¿Qué se celebra? ______________________

En el Escudo y en la Bandera Nacionales se muestra un ave posada en una planta. El árbol o planta descansa en una base. Observa, estudia y colorea estas antiguas representaciones de este tema.

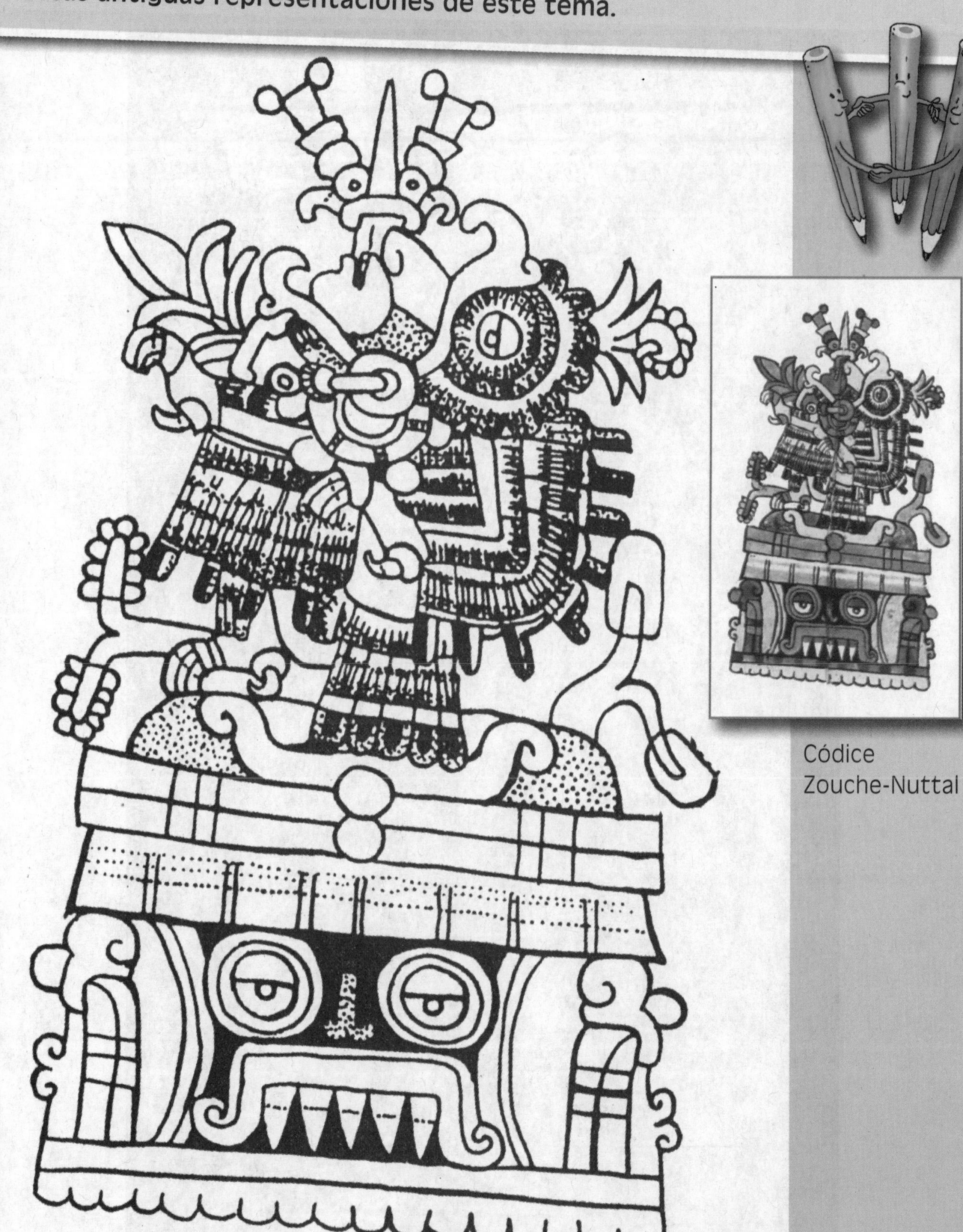

Códice
Zouche-Nuttal

Ahora, observa estas figuras de la lápida de Palenque, Chiapas, e ilumina la piedra o base, la planta y el ave.

FOTOGRAFÍA: FERNANDO ROBLES

DIBUJO: MERLE GREENE ROBERTSON

Busca los elementos del Escudo Nacional en esta antigua representación.

Tira de la Peregrinación o Códice Ramírez

Ave

Planta

Piedra o base

Ejercicio de autoevaluación

En la escuela, con mis maestros y mis compañeros

¿CÓMO VOY?	Siempre (S)	Casi siempre (CS)	Casi nunca (CN)

- [ ] Explico qué beneficios recibo del trabajo de personas de diversas localidades.
- [ ] Identifico situaciones en las que se discrimina a algunas personas.
- [ ] Defiendo a mis compañeras y compañeros cuando reciben trato injusto u ofensivo.
- [ ] Aprecio las tradiciones culturales que existen en mi localidad.
- [ ] Participo en campañas para conocer y cuidar las plantas de mi escuela y del entorno.

Mi plan de acción

____

____

____

____

____

____

____

____

Ejercicio de autoevaluación

En mi casa, en la calle y otros lugares

¿CÓMO VOY?	Siempre (S)	Casi siempre (CS)	Casi nunca (CN)

- [ ] Reconozco que en la familia y en la localidad todos necesitamos de todos para cubrir necesidades.
- [ ] Evito utilizar palabras que ofendan o discriminen a otras personas por su origen, sexo o condición social.
- [ ] Me intereso por conocer las costumbres y tradiciones de otras localidades de mi país.
- [ ] Colaboro en la organización de las fiestas tradicionales de mi familia.
- [ ] Participo en el cuidado de las plantas y animales de mi casa.

Mi plan de acción

___

___

___

___

___

___

___

___

UNIDAD 4

Normas y reglas para la convivencia armónica

Convivo en armonía

Para que las personas puedan vivir juntas, es necesario que establezcan normas de conducta que organicen su convivencia. De otra manera es muy difícil comunicarse, colaborar y sentirse bien y seguros en cualquier lugar. Lo que las normas proponen es promover la armonía.

Observa la siguiente ilustración.

Comenta con tu grupo qué normas de conducta se están cumpliendo.
Registra en una hoja de reúso:
¿Cómo ayuda a la convivencia que las normas se cumplan?
¿Qué pasa si no se cumplen?
Lee tus respuestas ante el grupo y guarda tu trabajo en este cuaderno.

Algunas normas de conducta sirven para cuidar a las personas que necesitan más protección y ayuda. Identifícalas y escribe por qué es importante que existan esas normas.

____

____

____

____

____

____

____

____

____

____

____

____

¿Quiénes se encargan de hacer cumplir las normas?

Lleva a cada autoridad al lugar donde debe hacer cumplir las normas. Usa un color diferente para cada una.

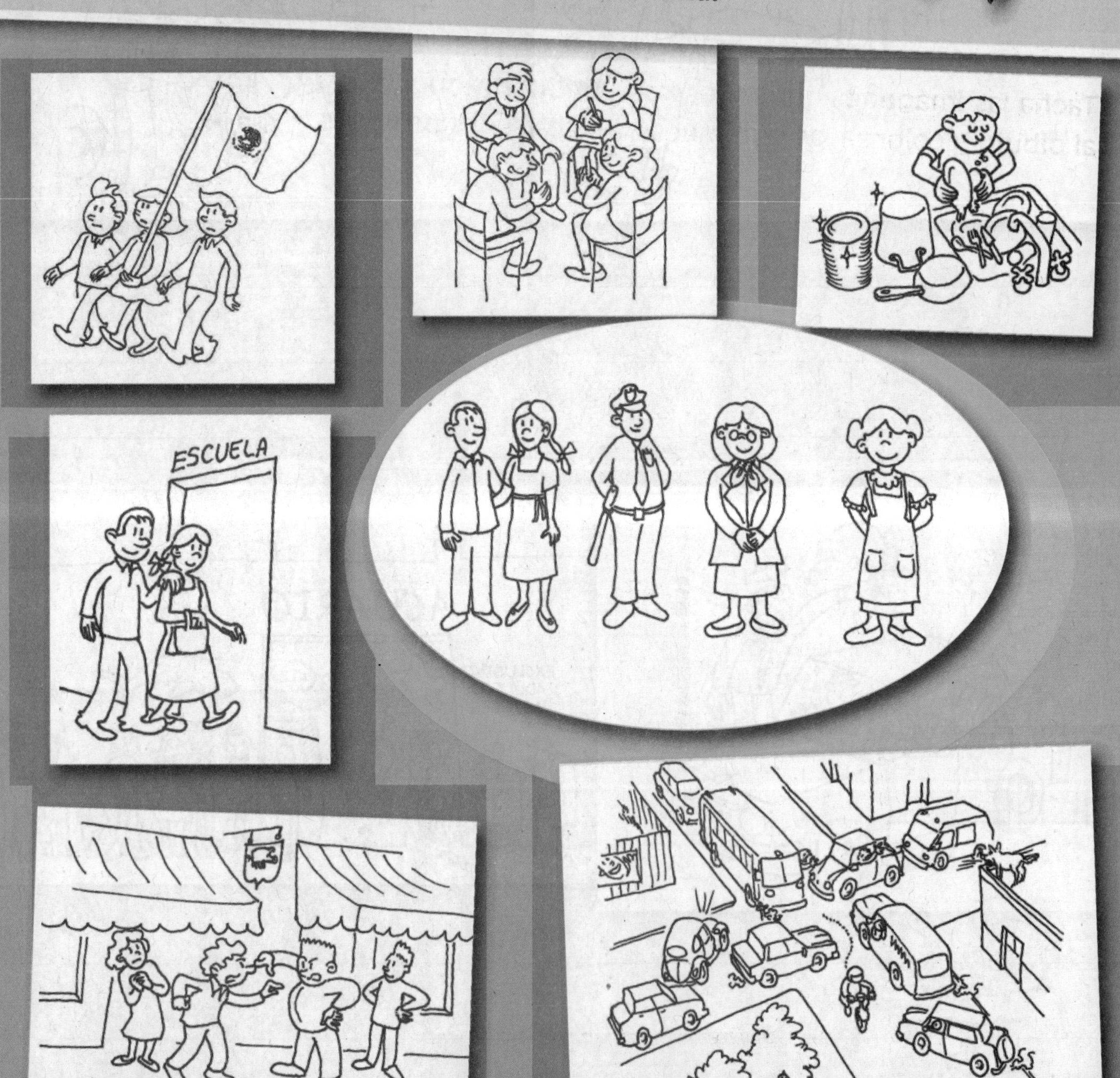

Hablemos en orden

En la convivencia diaria es importante saber dialogar. Esto se hace posible expresándonos con claridad, con la intención de que los demás nos entiendan; pero también es necesario que sepamos escuchar con atención para tratar de comprender lo que se nos comunica.

Tacha las imágenes que muestran conductas opuestas al dibujo y colorea las que muestran actitudes positivas.

Hay normas que son obligatorias

En la sociedad hay normas de conducta que es obligatorio cumplir. Reciben el nombre de leyes. En las leyes de nuestro país se señalan los derechos de niñas y niños para protegerlos y que logren desarrollarse sanos y felices. Las autoridades políticas y los padres de familia son responsables de procurar que niñas y niños disfruten de los derechos que les otorgan las leyes. Pero aunque éstas son iguales para todos, desafortunadamente muchos niños y niñas no disfrutan de sus derechos por las condiciones económicas en las que viven.

Lee los siguientes casos relacionados con algunos de los derechos de niñas y niños. Discute en tu equipo cómo dar solución a las situaciones problemáticas que se plantean.

Niños y niñas tienen derecho a la protección de su salud:
Lupita ha estado enferma de la garganta, y su mamá le ha dado los medicamentos que le recetó el médico; pero cuando su mamá fue a comprarlos, Lupita se salió a jugar al patio.

¿Es correcto lo que hizo Lupita?__________ ¿Por qué?________________________

____

Ante la acción de Lupita, ¿qué debe hacer su mamá?

____

Niñas y niños tienen derecho a recibir educación:
José es muy estudioso, pero su mamá lo va a sacar de la escuela para que cuide a su hermanita mientras ella trabaja.

¿Qué opinas de lo que le sucede a José?

____

¿Qué se puede hacer para que José no deje de asistir a la escuela?

____

Escribe en la segunda columna cuál es tu deber ante cada derecho que tienes.

Mis derechos	Mi deber ante mis derechos
Tengo derecho a alimento, a una vivienda digna y decorosa.	
Tengo derecho a expresar mis ideas, opiniones y pensamientos.	
Tengo derecho a jugar y a crecer en un ambiente sano.	
Tengo derecho a participar y a que mis ideas sean tomadas en cuenta.	
Tengo derecho a recibir amor, comprensión y cuidado.	

Completa las frases siguientes:

Es justo que todos los niños y todas las niñas: ____________________

Todas las niñas y todos los niños tenemos el mismo valor, por eso: ____________________

Tomamos decisiones democráticas

Las personas hemos buscado vivir juntas porque de esa manera cubrimos nuestras necesidades y solucionamos los problemas que se presentan. A veces las soluciones las da una sola persona, sin tomar en cuenta a los demás. Lo mejor es que entre todos busquemos las mejores soluciones.
Si facilitamos que todos participen, nos aseguramos de que todos colaboren para llevar a cabo las acciones acordadas.

Revisa cómo son en tu escuela las siguientes prácticas y subraya la opción que corresponda.

Situación o lugar	En mi escuela...
LAS ÁREAS VERDES	están en buen estado. están sucias y descuidadas. no hay áreas verdes.
EL PATIO, EN EL RECREO	siempre está limpio. algunas partes están sucias. se ensucia mucho. hay áreas del patio que representan riesgos.
EN LA SALIDA	todos salimos en orden. algunos niños y niñas salen corriendo. muchos niños y niñas se quedan a jugar con otros.

Escribe el problema que han seleccionado más niños y niñas.
Compara tus respuestas con las de tus compañeros.

____

____

¿En qué prácticas se identificaron problemas?

____

____

¿Qué consecuencias resultaron de ese problema?

____

____

Organícense en equipos y propongan soluciones.
Anota las de tu equipo:

____

____

Compara tus soluciones con las de los otros equipos. Analiza qué beneficios aporta cada una y, finalmente, hagan una votación.
La opción que tenga más votos es la que se presentará a la Dirección.
Regístrala:

____

____

Organícense para llevar a cabo actividades que contribuyan a solucionar el problema.

¿Cuáles de las siguientes actitudes son necesarias para que las soluciones den resultado?
Colorea los dibujos de niños y niñas que tienen pancartas con actitudes que favorecen la convivencia. Explica por qué los escogiste.

Ejercicio de autoevaluación

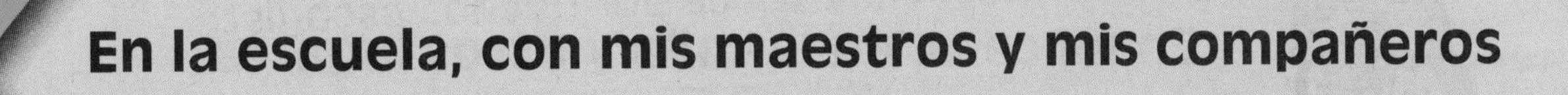

En la escuela, con mis maestros y mis compañeros

¿CÓMO VOY?	Siempre (S)	Casi siempre (CS)	Casi nunca (CN)

☐ Respeto las normas de los juegos en el salón de clase y en las diversas actividades escolares.

☐ Escucho las opiniones de los demás sin interrumpir y respeto mi turno para hablar.

☐ Participo en la toma de decisiones para solucionar problemas de mi grupo o escuela.

☐ Identifico mis derechos y asumo responsabilidades para que se cumplan.

☐ Trato con respeto a los demás y me solidarizo cuando alguien de mi grupo tiene un problema.

Mi plan de acción

____

____

____

____

____

____

____

____

Ejercicio de autoevaluación

En mi casa, en la calle y otros lugares

¿CÓMO VOY?	Siempre (S)	Casi siempre (CS)	Casi nunca (CN)

☐ Obedezco las normas familiares y procuro que la convivencia sea pacífica y armoniosa.

☐ Reconozco que para resolver los problemas familiares se requiere la participación de todos.

☐ Expreso mis opiniones con tranquilidad y escucho a los demás sin descalificarlos.

☐ Identifico la función de algunas autoridades de mi localidad.

☐ Identifico problemas de mi localidad y me intereso en proponer soluciones.

Mi plan de acción

____

____

____

____

____

____

____

____

UNIDAD 5

Construir acuerdos y solucionar conflictos

Prevenir y solucionar conflictos

La capacidad de expresar nuestros pensamientos nos ayuda a dar solución, mediante el diálogo, a los conflictos que surjan en la vida diaria. Al hablar es necesario que sigamos ciertas normas: respetarnos, escuchar, expresarnos con claridad. Cuando nos quedamos callados, y no solucionamos a tiempo los conflictos, pueden volverse más grandes y complicados.

Observa las siguientes imágenes y anota en las líneas qué conflicto puede originar esa situación y qué harías para evitarlo.

Problema que puede surgir:

____

____

Yo lo evitaría:

____

____

Problema que puede surgir:

____

____

Yo lo evitaría:

____

____

Los conflictos son parte de nuestra vida, y no deben terminar en peleas, gritos u otra actitud violenta. Al contrario, se deben buscar establecer acuerdos con las personas con quienes se convive.

Una causa frecuente de conflictos es que las personas no cumplan las normas.

Recuerda algún conflicto que hayas tenido porque no cumpliste alguna norma de tu casa.

¿Por qué se originó el conflicto?

___

¿Quiénes formaron parte del conflicto?

___

¿Qué hizo cada uno?

___

¿Qué piensas que hiciste bien?

___

¿Qué piensas que hiciste mal?

___

¿Solucionaste el problema? ¿Cómo?

___

Integren un equipo de trabajo para que cada uno comente el conflicto que escribió. Elijan un texto y organicen una representación. Pueden cambiar el final para que haya una solución basada en el diálogo.

Una vez que se hayan presentado todos, comenten en su grupo:

¿Cómo se sintieron al representar a sus personajes?

¿Es difícil dialogar cuando se presentan problemas?

¿Qué cambiarías en tus actitudes para resolver conflictos sin que haya enojos, gritos o violencia?

Yo cambiaría ___

___

Vamos a jugar juntos

Al jugar aprendes la importancia de incluir a todos, seguir las reglas del juego y ser justo. También aprendes a tomar decisiones.

Los juegos se echan a perder si no juegan todos, si las reglas se rompen, si se cometen injusticias o faltas de respeto, y si no se acatan las decisiones tomadas entre todos.

Cuando hay algo imprevisto, se debe tomar una decisión. Recuerda que no siempre se podrán llevar a cabo tus propuestas. En los ambientes democráticos se hace lo que la mayoría decide, en el marco de las normas de convivencia y respetando los derechos de las personas.

Piensa en un juego que te guste, y medita acerca de cómo incluir a todo el que quiera jugar.

Uno de mis juegos favoritos es:

___

___

¿Cuáles son las reglas de ese juego?

___

___

Para que pueda jugar quien quiera, yo propongo:

___

___

Decidan democráticamente qué juegos compartir en el recreo.
Ilumina todos lo que tu grupo haya decidido jugar. Dibuja los que falten.

Compartir

Compartir lo que tienes ayuda a prevenir y solucionar los conflictos de la convivencia.

Lee en tu libro de texto, en las páginas 52 y 53, el antiguo cuento mexicano "Lo útil y lo bello". Analiza el conflicto y los sentimientos de las personas. Describe aquí cómo hicieron para convivir pacíficamente y mejorar su vida.

Reflexiona y describe aquí algún conflicto que hayas tenido por no compartir con otros un lugar, un juguete, un juego o alguna otra cosa.

Recuerda algún juego que se haya interrumpido por una falta de respeto. ¿Qué harías para dar trato justo y respetuoso a todas las personas con quienes juegas?

Yo participo, tú participas y todos...

Participar es tener parte de algo. Cuando participas en un grupo, eres parte activa del mismo.
En todo grupo hay reglas de participación. ¿Sabes cuáles son las reglas de la participación democrática? Conócelas en el juego de la Oca.
Las reglas de participación democrática facilitan la convivencia y la hacen más justa.

Organicen sus equipos de tres a cuatro integrantes y jueguen a la "Oca de la participación democrática".
Necesitan un dado y papelitos de diferentes colores, uno para cada jugador.

Reglas:

- Lanza un dado y avanza tantas casillas como éste marque.
- Si caes en una casilla naranja, debes esperar dos turnos, pero si llegas a una verde, puedes tirar nuevamente.
- Si al tirar te toca en la oca, ¡VUELAS! el mismo número de casillas.
- El jugador que llegue al pozo, el laberinto o la torre, se queda ahí, hasta que otro jugador ocupe su lugar.
- Si al tirar llegas a la casilla de la muerte, ¡PERDISTE!, y sales del juego.

Gana el jugador que llegue primero a la META.

No olviden revisar los mensajes que están dentro de algunas casillas.

No cumple reglas
30
29
28
27
Respeto
26
25
31
No cumple acuerdos
Diálogo
59
58
57
56
55
32
Democracia
60
META
61
33
No escucho
62
34
Solidaridad
63
35
36
37
38
39
40
Irrespon-sabilidad
Trabajo
Falta de respeto
2
3
4
Flojera
1

23
Trabajo
22
21
Grito
20
19
18
17
Compromiso
16
54
53
52
51
50
PARTICIPACIÓN DEMOCRÁTICA
49
15
48
14
47
Desinterés
13
42
43
Participación:
¡LLEGA A
LA META!
44
Diálogo
45
46
12
6
7
Cumplo
acuerdos
8
9
10
Respeto
11

Acuerdos justos

Había una vez un pueblo en donde se cultivaba maíz. Como la gente quería ser justa, cada año todos los adultos tenían derecho a trabajar un pedazo de tierra, a recibir granos que plantar y a llevarse una parte del fruto de su trabajo a su casa. Lo que quedaba se repartía entre quienes por distintas razones no podían trabajar.

Cada adulto en aptitud de trabajar podía sembrar cuarenta pasos de largo por sesenta de ancho; recibía dos puños de granos, y se llevaba a su casa las mazorcas que cupieran entre sus brazos.

Unos habitantes eran más altos que otros, y sus pasos y brazadas eran diferentes.

Algunos vivían solos; otros, tenían familia.

No faltó quien usara zancos, o unas manoplas para recibir los granos.

¿Qué se podía hacer para que fuera más justo el reparto de los bienes del trabajo y de la comunidad? Lee "La conquista del maíz" en tu libro de texto, en la página 40. Con la guía de tu maestra o maestro, reflexiona junto con tu grupo y escribe aquí tus conclusiones.

Ejercicio de autoevaluación

En la escuela, con mis maestros y mis compañeros

¿CÓMO VOY? Siempre (S) Casi siempre (CS) Casi nunca (CN)

- [ ] Participo en la búsqueda de acuerdos para evitar que surjan conflictos o que crezcan los existentes.
- [ ] Rechazo actitudes como gritar u ofender para afrontar conflictos.
- [ ] Muestro disposición a dialogar para decidir qué actividades realizaré con mi grupo.
- [ ] Muestro interés y compromiso para que haya un ambiente de colaboración en mi grupo.
- [ ] Identifico situaciones de mi escuela en las que puedo participar con beneficio general.

Mi plan de acción

____

____

____

____

____

____

____

____

Ejercicio de autoevaluación

En mi casa, en la calle y otros lugares

¿CÓMO VOY? Siempre (S) Casi siempre (CS) Casi nunca (CN)

- [ ] Procuro solucionar los conflictos con mis familiares y amigos mediante el diálogo, evitando todo tipo de expresiones agresivas.
- [ ] Facilito que las decisiones con mi familia, amigos o vecinos se tomen mediante el diálogo.
- [ ] Me gusta realizar actividades en las que colabora toda la familia.
- [ ] Identifico cómo he participado en la comunidad ante problemas colectivos, como el cuidado de jardines y la recolección de basura, la inseguridad, etcétera.
- [ ] Acepto con agrado que me apliquen las vacunas para la prevención de enfermedades.

Mi plan de acción

____

____

____

____

____

____

____

____

Mi desempeño cívico y ético

Con ayuda de tu maestra o maestro, tus compañeros y miembros de tu familia, valora cómo has mejorado en tu desempeño cívico y ético. Completa el siguiente cuadro. En cada aspecto escribe en qué se nota tu avance.

¿EN QUÉ HE MEJORADO?	EVIDENCIAS
Identifico los cambios que han ocurrido en mi cuerpo y cuido mi salud física y emocional.	
Valoro la cultura de mi familia y de mi localidad y reconozco el valor de otras con características diferentes.	
Realizo mis actividades de acuerdo con un horario y establezco metas personales para mejorar mi desempeño en la escuela y en la casa.	
Identifico cuáles son mis derechos y colaboro con la responsabilidad de los adultos para que se cumplan.	
Reconozco situaciones en las que se discrimina a las personas y rechazo ese tipo de actitudes.	
Contribuyo a la creación de ambientes democráticos al dialogar respetuosamente con los demás para alcanzar acuerdos.	
Identifico que el incumplimiento de normas y acuerdos genera conflictos y que éstos pueden solucionarse mediante el diálogo.	
Participo en acciones colectivas que procuran resolver problemas que afectan a todos.	

Formación Cívica y Ética. Cuaderno de trabajo. Segundo grado
Se imprimió en los talleres de la Comisión Nacional de Libros de Texto Gratuitos,
con domicilio en Av. Acueducto No 2,
Parque Industrial Bernardo Quintana,
C.P. 76246, El Marques, Qro.,
el mes de junio de 2009.
El tiraje fue de 2'871,750 ejemplares
sobre papel offset reciclado
con el fin de contribuir a la conservación del medio ambiente,
al evitar la tala de miles de árboles
en beneficio de la naturaleza y los bosques de México.

Impreso en papel reciclado

Dirección General de Materiales Educativos
Dirección General de Desarrollo Curricular
Avenida Cuauhtémoc 1230, 3er piso,
Santa Cruz Atoyac, 03310, Benito Juárez, México, D.F.

Dobla aquí

Si deseas recibir una respuesta, anota tus datos

Nombre ______________________________ **Grado** ______

Domicilio ______________________________
CALLE NÚMERO COLONIA

____
ENTIDAD MUNICIPIO O DELEGACIÓN C.P.

Dobla aquí

Pega aquí

____

____

____

____

____

____

____

Recorta

¿Qué piensas acerca de tu *Cuaderno*?

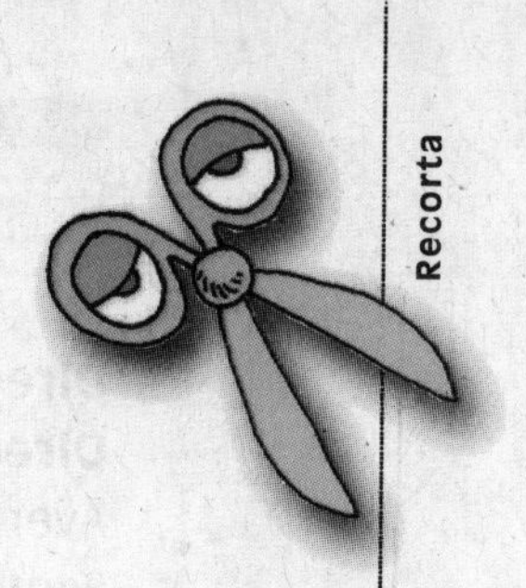

Tu opinión es muy importante para nosotros,
así que te invitamos a que nos digas lo que piensas
de tu *Cuaderno de trabajo*.
Lee las preguntas y tacha la carita feliz
o la carita triste según lo que pienses.

	SÍ	NO
¿Te gusta tu *Cuaderno*?	☺	☹
¿Te agradan sus imágenes?	☺	☹
¿Te gustaron los ejercicios?	☺	☹

Escribe:

1. ¿Qué has aprendido de tu *Cuaderno*?

____

2. Si tú fueras el o la autora de tu *Cuaderno*, ¿qué le agregarías?

____

3. Si tú fueras el o la autora de tu *Cuaderno*, ¿qué le quitarías?

____